SIARAD *trwy'i* HET

Cerddi a ffotograffau
Karen Owen

Cyhoeddiadau Barddas
2011

Diolchiadau

Mae Karen yn dymuno diolch i'r canlynol am eu cwmni a'u cefnogaeth ar sawl taith wrth gwblhau'r gyfrol hon:

Academi
Enid Jones
Gwenda Richards
Gwyn Jones
Idris Wyn Owen
Mari Lisa
Marilyn Davies
Medi Wilkinson
Nia Wyn Jones
Sian Owen

Diolch hefyd am y croeso, y cymorth, neu am y caniatâd i dynnu lluniau mewn mannau na chaniateid hynny yn arferol:

Boathouse, Talacharn
Cyngor Sir y Fflint
Douglas Coates, Riverside Taxidermy, Llangollen
Eglwys Gadeiriol Tyddewi
Elfyn Rowlands, Cefn Caer, Pennal
Emyr Wyn, Cann Offis, Llangadfan
Mansel Davies a'i Fab Cyf., Llanfyrnach
Robert Ieuan Griffith, Capel y Beirdd

Diolch i dîm Y Rhelyw – Dafydd, Geraint, Harri a Mari – am fod yn gefn i'w capten, fel arfer.

A diolch i Twm Morys, Meirion MacIntyre Huws a threfnwyr Gŵyl Maldwyn, am yr het.

Argraffiad cyntaf: 2011

ISBN 1 906396 44 2

Cyhoeddwyd gyda chymorth ariannol
Cyngor Llyfrau Cymru

Cyhoeddwyd gan Gyhoeddiadau Barddas
Argraffwyd gan Argraffwyr Cambrian, Llanbadarn Fawr

Cynnwys

Oesol

Gwleidyddol

Pobol

Crwydrol

Beunyddiol

Iwan

Siliwét yn nrws salŵn
oedd-o. Am hynny, gwyddwn,
yn seiadau'r golau gwael,
ei fod yn dod i adael;
dôi o'r haul a'i ledar o
â nod y diwrnod arno.

Dan gantel isel y wên
mae gwae. Mae mwg ei awen?
Mae pianydd? Mae cwmpeini?
Mae iaith? Mae blŵs? Ac mae hi,
y ferch hardd? Lle mae barddas
a holl fêr ei linell fas?

Hongian mae pob cynghanedd
yn nrws y bar, drws y bedd;
heddiw, aeth i'w lonyddwch,
yn ôl i'w haul, hyn o lwch.
Wedyn, yng ngwydryn fy nghân,
be' 'di bywyd heb Iwan?

Cann Offis, Mehefin 12, 2010

Cerdded yn y gwynt

Dim ond i mi
fynd i gwfwr' â'r gwynt
ar nos o Fedi,
ac mi fydda' i'n teimlo'n fyw.

Mae yna, yn esgyrn sychion nosweithiau'r nawfed mis,
wrth ymgodymu trwy'r atmosffêr flin,
y cymylau agwedd,
yr anadl groes
a'r edliw sy'n glynu'n gap am fy mhen;
un hydrefol ysgyfaint
sy'n gwneud i mi besychu

y biliau oer,
y beilïod,
yr MOT dw i newydd ei fethu,
yr holl orchmynion sy'n trio fy llethu
a'r awdurdod sy'n fy ngor-drethu;
a llenwi'r carcas credyd hwn
efo pwn sy'n wefr go iawn.

A phan fydd y gwynt yn gwfl,
mi dynna' i fy nghôt ail-law
yn dynnach amdanaf,
mi deimla' i fy mochau'n llosgi,
fy nghlustiau'n cosi,
fel 'tae rhywun yn malio siarad amdana' i ...
a bydd fy nhrwyn,
yr un trwyn mawr ag yr oedd gan nain, hithau,
yn dechrau rhedeg.

Crawen
Dyffryn Nantlle

Lôn Wen

Os cawsom, bob un, ein geni ar allt
ar fynydd o fywyd na cheisiwn mo'i ddallt
un bore diamser, di-funud, di-awr,
a'n bryd ar i fyny, a'n traed ni ar lawr,
mewn pentref dienw yn welw ei wên
ond sy'n mynnu rhyw gyffro cyn marw yn hen,
lle mae'r chwerthin yn feddw a'r dagrau yn hallt
ar oleddf o alar na cheisiwn mo'i ddallt:

nid oes ond un dewis, sef dringo dy daith
i chwilio golygfa'r pellterau maith,
a dringo dy enaid i'r copa gwyn -
dringo am na chei di ildio'n fan hyn,
tra bo hoelion mewn gwadnau a llwch ar dy foch,
y llechen yn hollti, a'th lafur yn goch;
a duw yn ei awyr yn gwylio o hyd
gan wenu ar holl gytiau colomennod y byd,
nes chwythu a sychu dy ddagrau hallt
ar fynydd y bywyd na chawn ni mo'i ddallt:

a dyna pam, weithiau, y cawn ni rai sêr
yn llygaid o obaith uwch ein hantur flêr,
am fod grug ac eithin mor flin ganol dydd
yn rogio carpedu ein llwybrau o ffydd;
a'r ysgall mor bigog, y danadl yn oer,
mi geisiwn gwmpeini dan gryman o loer
wrth oedi i gymuno ar jeli a the
yng nghilfan argyfwng ein seithfed ne';
bryd hynny, mi dybia' i mod innau'n how-ddallt
pam fod chwerthin mor chwerw, a chrio yn hallt:

ond sut gwn i'n y diwedd, heb na signal na sôn,
os oes yna gyrraedd i ben y lôn?
O'm cwmpas, ni bydd yna nag arwydd na bedd,
dim ond y presennol, a gorwel o hedd ...
pan wela' i Gaernarfon yn gastell a gŵyl,
ac mi wela' i Sir Fôn a'i stemars hwyl;
ac os gwela' i Iwerddon ar ddiwrnod clir,
ar ddiwrnod cymylog y gwela' i'r gwir;
a phan wela' i Lundain yn balas o bell,
mi glywa' i ryw straeon, a'u dawnsio nhw'n well:

a finnau fy hun ar fynydd o allt,
mi ddo' i'n agosach nag erioed at ddallt -
am fod bywyd yn chwerw, a'i chwerthin mor hallt.

Geni iaith

Nant Gwrtheyrn

Eira Llanfair Caereinion

Eira, eira, eira,
yn dawel o dew
a'r lle'n anadlu trwy gymylau rhew
dri diferyn o win
a dim mwy:

un soffa lydan
a gitarydd ar wyliau o'r Iseldiroedd
(wedi dod ar y bws o Bwyl
i dre'r Trallwng)
am ganu i ni
donau ei deithiau chwil:

a llygaid y cwsmeriaid peintgar
yn rowlio'n eu pennau
a nhwthau'n cegio arnon ni,
"Anwybyddwch ei gynnig unig
i ganu ei gân anodd-ei-gwneud-allan,
achos dim ond gweryrru ydi hi!"

nes i ti afael yn ei gitâr
a dwyn ei gordiau,
plycio ei diwn o'i ben
a rhoi iddo hen alaw Gymraeg Gwion
wedi ei byseddu ar offeryn newydd:

a'r plu y tu allan yn dafodau tew
yn caledu'n y rhew
ac yn tawelu'r cyfan;
yn gerdd heb ei chanu
yn eiriau heb eu ffurfio
a minnau heb fy nhwtshiad.

Glaw, glaw, glaw

Glaw'n wawr o galon hiraeth,
glaw mawr am gwlwm a aeth:

glaw unig lladd goleuni,
glaw na wêl ein hoglau ni:

glaw mawr y golau marw,
glaw'r lle heb na bê na bŵ:

glaw hirnos ein galarnad,
glaw'r braw mor hir ei barhad:

glaw dŵr trist dan gledrau'r trên
yw'r glaw sy'n treiglo awen:

a'r glaw a ddaw mor ddi-hid
i ofyn am ein gofid.

Pyls

Dal fy llaw am drigain eiliad,
dal hi'n llonydd er pob brys,
dal hi'n dyner yn ei gwendid,
dal hi'n well rhwng bawd a bys.

Cynnal hi am gylchdro cyfan,
cynnal hi rhag llithro'n ôl,
cynnal hi rhwng dweud a gwadu,
cynnal hi a'i chryndod ffôl.

Dwed pan wyt ti'n mynd i'w gollwng,
dwed â hyder yn dy glyw,
dwed, rhwng tipian y curiadau,
dwed yn uchel, 'mod i'n fyw.

Gweddi

Mi wn mai fel y mynno – y gwna dyn
ac nad yw yn malio,
nes daw'n chwil i ymbilio
o'r gwagle oer i'w glyw O.

Marw i fyw
Bedd Taliesin, Ceredigion

Wrth fedd Taliesin

Inni rhoed cân wahanol – a honno
mor hen â'n gorffennol,
ac i'r iaith 'dim-geiriau-ar-ôl'
Daliesin odlau oesol.

Niwl am Gastell Odo

Cawr oedd Odo,
'Caradog' oedd-o,
a hwn oedd ei gastell o:

y tiwb profi o le
sy'n berwi'i ether
yn grochan o gymylau
yn aer oer mis Mehefin;
lle mae'r ddaear hen yn gwisgo côt wen
ac yn handlo'i thwrists efo twîsars.

Odo,
sy'n stemio ei stethosgôp metalaidd
ac sy'n glanhau ein hiaith yn ei geg.

Hirddydd haf
Bryn Celli Ddu

Pŵer
Fferm wynt Blaen Bowi

Melin y Cim

ar ôl ei hadnewyddu'n ganolfan i bysgotwyr, Ionawr 2009

Un Ionawr, ar lanw hynod,
bydd 'sgotwr i'r dŵr yn dod;
daw â gwialen ei eni
i'r fan hon, i'n hafon ni.

Daw i ddŵr o fedydd iach,
dŵr rafin, dŵr arafach,
dŵr o addo ei drwydded,
dŵr o iaith, a'r dŵr a red
yn ddŵr llesg o ruddiau'r llyn,
yn fôr ac yn ddiferyn.

Dŵr ddoe hir, dŵr heddiw yw,
dŵr rhyd, ond mai dŵr ydyw,
dŵr y felin, a hi'n hen,
dŵr a rhaeadr o awen,
dŵr dan 'bont, dŵr dyn y bach,
a dafnau'r plymio dyfnach.

Dŵr y gannwyll, dŵr genwair,
dŵr cri'r gwyllt, dŵr cawio'r gair,
dŵr abwyd, dŵr o obaith,
dŵr oriau'r munudau maith,
dŵr oerach na du'r aros,
dŵr i ni sy'n drymder nos.

Un Ionawr, ar lanw hynod,
bydd 'sgotwr i'r dŵr yn dod,
i ddŵr y Cim, meddai'r cof,
y dŵr hwn sy' ar grwydr ynof;
dŵr a geidw'r pysgodyn.
Daw â'i bluen wen ei hun.

Cynhaeaf yr oesoedd
Buarth Hergest

Bwgan Llyn Nantlle

Dw i'n gwybod pam ei fod o'n drist,
y croeshoeliedig un
sy'n gorfod sbio bob dydd
ar odidowgrwydd yr Wyddfa ar ben y bwlch;

mae o'n clywed crio creulon llygod mawr yr awyr,
mae o'n cael ei bigo'n frwnt yn lle y dylai ei glustiau fod,
ac mae o'n teimlo gwarth y gwylanod
yn dripian i lawr ei ysgwydd:
y fo,
yr hen bêl ffwtbol o ben
ar groesbren ei warth
ar jeti'r Ffridd.

Ac os oes yna rywun yn credu fod y bwgan gwneud
(sydd wedi ei fedyddio a gwên-ffelt-ddu)
yn dychryn adar y Dyffryn,
y gwir ydi,
dydi o'n dychryn neb ond y fo'i hun,
a'i wyneb o ydi pob drychiolaeth
sydd yng nghrychau doeau'r dŵr.

Boddi fy hun faswn innau hefyd.
Am groes i'w chario.

Groglith yn Nolbenmaen

Ni chredwn mewn ysbrydion
ond, mi yrrais trwy Ddolbenmaen y noson honno
ac mae hynny'n ddigon,
yn fwy na digon i mi.

Roedd holl ddarnau prawf y Groglith yn canu'n eisteddfodol yn y cof,
y cadeirio, y gadair a'r gerdd,
y llefaru a'r goslefu a'r 'Gŵr a fu gynt o dan hoelion' yn y pnawn;
a finnau'n gyrru trwy'r nos mor dew tuag adref.

Cofiaf yr hen Nova du,
a hwnnw wedi'i adael yn ei dywyllwch ei hun mewn adwy;
gŵr a gwraig yn camu o'r gwellt glas i belydryn chwith fy sylw,
a minnau'n holi, trwy ffenest a agorwyd yn drydanol o amheus ohonyn nhw,
a fedrwn i fod o ryw help.

Ni chredwn mewn ysbrydion
ond, mi yrrais trwy Ddolbenmaen y noson honno
ac mae hynny'n ddigon,
yn fwy na digon i mi,

oherwydd yn lle mynegi eu diolch,
yr hyn ges i gan yr henwyr hynafol hyn
oedd rhybudd a drodd fy ngwaed yn oer,
am ŵr y byddwn i'n ei weld yn cerdded yng ngolau'r lloer
rhyw ganllath arall lawr y lôn:
"Peidiwch â stopio
iddo fo,
ar unrhyw gyfri',
a pheidiwch â gwrando ar yr un gair
o be' ddudith o wrthach chi."

Ni chredwn fod ysbrydion yn bod,
ond, mi yrrais trwy Ddolbenmaen y noson honno
ac mae hynny'n ddigon,
yn fwy na digon i mi,

oherwydd gwelais ŵr ifanc
y proffwydodd y lleill amdano,
yn dilyn y lôn wen ar ganol fy llwybr i,
yn baglu yn ei grys sgwarog a'i freichiau ar led,
dolur gwaedlyd uwchben ei lygaid
yn crio arna' i i arafu,
ei lygaid yn gofyn,
ei geg yn siarad mud am y sgrîn â mi;
ac wedi ei oddiweddyd,
ni fedrwn wadu a welais.

Ni chredwn mewn ysbrydion
ond, mi yrrais trwy Ddolbenmaen y noson honno
ac mae hynny'n ddigon o brawf,
yn fwy na digon,
i mi.

Croesi Pont y Borth

Dw i ddim yn deall be' ddigwyddodd i ti
rhwng yr Antelope a Menai Bridge;

a ninnau'n dechrau ar y daith law-yn-llaw
yn siarad mewn cymylau cariadus;

yn cydio'n dynnach pan ddoi cerbyd i oddiweddyd
ein camau araf, ac i refio heibio i'n cusanau cipiog;

dw i ddim yn deall i ble'r est ti
rhwng Arfon a Môn, rhwng Ebrill a Mai;

rhwng dwy lan mor sad ein siarad.
Dy fraich am fy ysgwydd dan y pileri cadarn

sy'n siglo pan ddaw bws i grynu-pasio trwy'r pyrth,
gan gario calonnau sinigaidd o'r tir mawr i'r ynys;

dw i ddim yn deall pam dy fod yn codi dy lais,
yn codi dy ysgwyddau, ac yn codi dau fys

rhwng yr Antelope a Menai Bridge,
wrth i ninnau losgi'n pontydd ein hunain yn fflat.

Ai am mai crogi ar tshaeni sy'n gwegian dan bwysau'r byd,
ai am mai peth felly ydi cariad, i ti?

Gwatwarwr yw gwin
Y Rhyl

Darwin oedd yn iawn

Cyn bod hafau hirfelyn
i fy hanes i,
daeth y meddwl mawr, Charles Darwin,
i Fynydd Moeltryfan
a dweud yn llawn dadleuon
nad 'mynydd' oedd hwn –
nid bryn, hyd yn oed,
na chodiad tir o unrhyw bwys –
ond yn hytrach waelod y môr.

Yr oedd cregyn wedi'u canfod
wedi'u crensian ar y copa codog,
a hynny'n profi
y tu hwnt i esblygiad epa o amheuaeth,
eu bod nhw, ar un adeg,
filiynau o aeonau'n ôl,
yn gorwedd yn y graean
a oedd yn wely i ni i gyd.

Yr oedd Cwm Idwal hefyd, meddai,
yn yr un cwch –
neu ar waelod yr un gorffennol glas.

Ond yr oedd pobol Rhosgadfan,
ac eneidiau diwylliedig a dirwestol eraill y parthau hyn
yn dadlau efo Darwin
er mwyn trio dangos
eu bod nhw'n fwy
na chreaduriaid syml
un-gellog gwaelod y môr,
a bod eu hanes yn amgenach
na dalen damp o wymon hallt.

Oherwydd wedi esblygu ynom
y mae ffug-soffistigeiddrwydd
sy'n tyllu i fetamorffosis ein bod
ac yn claddu ein calonnau
mewn mynyddoedd gwneud,
mewn cariad mawr
sy'n ddim ond cerrigos.

Cwsg hir
Beddrod Rhys Gryg, Eglwys Gadeiriol Tyddewi

Ywen Dafydd ap Gwilym
Ystrad Fflur

TROEON

– cyfres o driciau cardiau

Y tric cyntaf

Â bysedd hud, sy'n anwiredd i gyd,
gosodaf fy nghardiau aml-wynebog
yn eu hanrhefn trefnus ar y bwrdd o'th flaen;

cynigiaf i ti: dewis un, a dim ond un,
o unrhyw werth, lliw a llun,
o ehangder ffan fy llaw uchaf;

ac wedi i tithau hofran dy fys synhwyrus
dros y pecyn patrymog o undonog,
rwyt ti'n mentro penderfynu p'un yw'r un
y tefli ef ar ei gefn, a'i arddangos i'r byd;

tynnaf innau o ogof dy glust chwith
rhyw gerpyn o bapur wedi'i blygu'n fychan filgwaith;
gofynnaf i ti agor amlen y gwagedd gwyn
a darllen yn uchel
ysgrifen fach y rhagfynegi mawr.

Cyn geirio dy fuddugoliaeth,
mae dy lygaid yn cynnau'n llawn cred yn dy anghredinedd,
a gwn i mi ddewis yn gywir
un â'i ffydd ynddo'i hun i drechu'r llaw uchaf;

a dechreuaf ddelio drachefn.

Shifflo

Gwylia fi, wnei di,
wrth i mi shifflo pob cerdyn o'r llaw dde i'r llaw chwith,
o dop y pac i'r gwaelod i gyd,
wrth i'r rhawiau droi'n ddiemwntau
a phob calon ymddangos eto'n ddeilen mwyar duon;
mae'n rhaid gwneud y gêm yn deg.

Gwylia fi, wnei di,
wrth i mi, rhwng bysedd profiad ac oesau o ymarfer,
gymysgu'r lliwiau dan ganhwyllau dy lygaid deallus
sy'n sganio'r cyfnewid gweladwy rhwng llaw a llaw.

Gwylia. A dysga, wnei di:
bob tro y gwna i hyn, dy fod di'n rhy ara' deg.

Marcio

Rwyt ti wedi dysgu'r tric
ac am brofi dy ddawn ar y meistr hud.

"Rhanna" a "shiffla", meddet ti,
a gwnaf finnau yn ôl dy awydd, gan dy annog yn fud.

Gwyddost am lif fy meddyliau, meddet ti wedyn,
am bob un o'm dewisiadau a holl symudiadau
fy nwylo dewisol.

Mae'n biti na ddeallaist,
wrth drio gor-egluro i hen brô
gyfrinach y marcio ar gefnau'r cardiau plygadwy,
mai diffodd y mae hud o'i rannu â'r byd.

Torri

A'r symudiad nesaf? Dy ddewis di.

Dywedaf hynny pan fydd dy lygaid glas yn dechrau diflasu
ac yn troi i ffwrdd oddi wrth y bwrdd
i chwilio diddanydd amgenach ei gêm.

Mae'r pac wedi'i dorri'n lân
ond, o nabod y deliwr hwn,
dywedi mai gwell yw i ti dorri eilwaith,
rhag ofn.

"Ga' i dorri eto?" gofynni yn dy ddiniweidrwydd,
yn y gobaith diogel fod pecyn arall mewn llaw
yn rhywle.

Ac wedi cymoni'r cardiau, sydd ar chwâl wedi dy chwarae chwil,
fy newis innau yw rhoi'r dewis eto i ti.

Stacio

Gofynnaist, a wyddwn i pa gerdyn oedd yn dy law,
a mentrais innau'n gwbwl saff, "Rhif naw".

Gofynnaist, a allwn ddweud pa liw oedd dy gerdyn di,
a mentrais eto heb beryg blincio, "Un du s'gen ti".

Gofynnaist, a feiddiwn i roi pres ar gesio siwt,
a mentrais i "Calonnau" yn gywir o giwt.

Ond pan ofynnaist sut mae modd dyfalu'n gywir bob un tro,
mi fentrais ffugio wyneb syn, rhag ofn dadrithio'r co'.

Unwaith yn unig

Wrth gasglu'r cardiau, fe ddaw'r galwadau
am gael gweld y tric diwethaf –
oedd mor wefreiddiol y tro cyntaf –
un waith eto.

Gwrthodaf innau, gan geisio geiriau i egluro
nad yw tric yn dric o'i wylio â llygaid slic
y sawl a fyn ei ddatgymalu,
ei weithio allan,
ei ddyfynnu a'i dalfyrru,
a'i nodi i lawr mewn llyfr bach du
er mwyn ei swotio a'i berfformio
un waith yn ormod.

Maddau i mi;
ti a'r llygaid canhwyllau sy'n llosgi gan ddagrau'r golled,
ond fy nhric i ydi-o,
a fyddai hwnnw, na minnau, yn ddim
heb ryfeddod dy "O!"
dro ar ôl tro.

Crino
Tir-y-dail, Rhydaman

Gwylio
Castell Ynysgynwraidd

Hwiangerdd

Pan mae'n nos, pa ddiben cwffio,
be' di pwrpas iti strancio,
gwrthod gollwng a phrotestio?
Mae y sêr bron iawn ag ildio,
ac mae'n nos.

Pan mae'n ddu, haws cau dy lygad
nag yw ymladd y sefydliad;
estron law sy'n siglo'r famwlad,
rhamant ydi goresgyniad
a thywysog ydi cariad.
Mae y sêr yn methu â siarad,
ac mae'n ddu.

Pan ddaw'r gwlith, mi fydd hi'n olau,
ond, trwy'r dydd mi fyddi dithau
yn rhy wan, yn chwarae'r oriau
yn dy grud ymhlith teganau
ac yn brathu dwmi geiriau,
heb weld heibio i glydwch doeau
na'r tu mewn i dy amrannau:
Mae y sêr uwchben ein beddau,
ac mae'n wlith.

Wal Bryn Fôn

Ugain mlynedd yn ôl,
cyn bod Thatcher wedi gorffen fy mowldio
yn ddi-gymdeithas, uchelgeisiol unigolyn
a'm bryd ar safonau gwlad arall,
mi sbarciodd yna weiars
rywbeth ynof fi –
mi daniodd rhyw olau,
mi fflachiodd rhyw fflamau,
mi deimlais fy hun yn cynnau
yn Gymraes go iawn ...

Cyn bod gewyn gwladgarol wedi glynu wrth y sgerbwd hwn,
roedd yna weiars mewn wal,
roedd yna hogyn wedi'i ddal,
a thyddyn clyd
yn cadw'r cyfrinachau tanllyd
yn gen bob lliw yn ei fur o gerrig.
A'r hogyn, a fynnodd ganu ei gân rydd
hwyred y dydd?
Ar ei ben i'r jêl yr oedd o'n mynd ...

"Awn ni i syportio Bryn," meddai hogyn o'r ysgol,
a'r bws yn barod
achos roedd rhywun, yn rhywle, yn gwybod
pwy oedd wedi gosod
y weiars yn ei wal.

Ac yn Nolgellau
o godi placardiau a dal ein geiriau
yn astud o flaen y camerâu
wrth aros am oriau
am arwr mellt y nos ddu;

mi ddaeth yna un
allan o'r celloedd
yn ddieuog o welw
a ninnau, bob un, efo fo.

A lle bynnag y bu tŷ gwag o arferion
yn llosgi'n acenion,
yn draddodiadau estron,
gan Feibion wedi hynny;
pan deledid Abergele
ar y rîl, byrred y co';
pan ddaeth cyrchoedd y bore bach
i Siop Gloch a Threm yr Wyddfa;
pan garcharwyd Trawsfynydd, Llangefni ac Amlwch;
yr oedd yna weiren cyn freued â hanes
yn rhedeg eto efo wal y tŷ
i lofft y galon.

Ni a nhw
English Walls, Croesoswallt

WALLS

Monwysion

(William a Kate)

Mi ges i fy siomi gan bobol Môn cyn hyn:
cyn bod cyngor yn dweud yn wahanol,
llais y bobol yn cwyno (am bob peth),
PAWB yn atal,
Niwclear yn tynnu allan,
Rio Tinto yn jibio,
ac Alwminiwm Môn yn bargeinio
efo swyddi dynion da:

Rŵan, maen nhw wedi mopio
ar ŵyr y Frenhines a'i ddyweddi o,
yn mwydro ar raglenni
am y fraint o ymgartrefu
ar yr Ynys Fêl, Ynys y Cedyrn, yr Ynys Dywyll,
a Mona, Mam Cymru – o bob man –
ddarpar-frenin eu hymerodraeth 'nhw'.

A dyna pryd dw i'n cofio,
do,
fe anfonwyd rhai yma, cyn hyn, i'n troi ni,
daeogion diniwed
mor hawdd ein prynu
mor rhwydd ein twyllo
a'n darbwyllo.
A dyma fo'n digwydd eto.

Mi awn i'r parti yn ein dillad gorau
yn ein sodlau wedi-gwisgo
a chrafangu am ddarn o'r deisen
sy'n berwi o eisin hen ...
a nhwthau'n crafu eu gyddfau uwch ein pennau,
ninnau heb ymbarél.

Castell

Un wylan ac un faner,
un cei a'i gychod syber,
un maen ar faen yn llyncu tir
canrifoedd hir, di-hyder.

Un wlad, un bwa enfys,
un nen gymylog, ofnus,
un deigryn gwlyb ar ddeigryn ddaw
o'r glaw mor ddigalonnus.

Un tŵr, un doe, un gormes,
un enaid hanner-cynnes,
ac un wyf fi'n rhy rwydd fy nghlod,
un bron-â-bod yn Saesnes.

Un prins, un mab i Carlo,
un iaith a honno'n wylo,
un hanes yw ein hanes ni
sy'n haws i mi ei anghofio.

Diolch, Jonsi

1995-2010

Ym Mryn Meirion, mae arwr
isaf sôn yr orsaf, siŵr?
A'i hedd ar fysedd yn fêl,
mwy'r diolch am awr dawel:

Ei dawel ymadawiad
yn rhu'i lais yw crygni'r wlad
os di-waith yw ei iaith o
a'r direidi ar dy radio.

Radio'r rhai di-hyder oedd,
acenion byw y cannoedd
na all weld na hyd na lled
geiriau ei feic agored.

Yn ei eiriau, roedd gwerin
biau'r iaith am orig brin;
nid oedd raglen i'r henwyr
fynnai gadw'r berw'n bur!

Ond yr oedd yn bur ei dras
ac yr oedd geiriau addas
y Bangor-lad a'i ramadeg
yn rhy wir yn ffatri'r rheg:

Gwir eithaf a diafael
llond stadau o sgyrsiau gwael,
terasau patro isel
y tai rhent, a'r rhai a wêl

yn stryd gownsil yr hil hon
dafod yn n'wedyd Eifion;
berfau i'n henwau'n neb
yw'r rhain, y blêr eu hwyneb.

I'r rhai hyn, nid tâl yw'r iaith,
na phunnoedd yw corff heniaith;
nid cyflog ei chefnogi,
nid sgwrs ei phwrs yw eu ffi.

Ond a sgyrsiau'r siwtiau sych
am fanion, manion, mynych;
mor galed, saled eu sôn
am arwyr ym Mryn Meirion.

Aem hyd Reged a thu hwnt ...

Aeth ynys fy Nghymreictod
yn gilcyn glan y môr,
aeth Catraeth a'r Hen Ogledd
yn groes dan faner Siôr:

ond gwn fod Ynys Prydain
a'i map yn gof o hyd,
yn methu â thynnu llinell
trwy galon Ystrad Clud.

Nyth

A'r tŷ twt ym mrigau'r tarth – yn oeri,
daw eryr Canolbarth
i'w wagio ef, mwya'n gwarth,
a'i droi'n dŷ deryn diarth.

Tua'r wawr
Argae Tryweryn, Penllyn

Bywyd ar gamera

Maen nhw'n fy nabod i yn Abertawe,
maen nhw'n gwybod fy enw'n y DVLA,
yn anfon ata' i i'm cyfeiriad Cymraeg
ac yn hawlio yn iaith y nefoedd
ddirwyon fy mynd a dod:
fe wnaethon nhw bwynt (neu ddeuddeg) o ddod i'm nabod i.

Maen nhw'n fy nghlywed i'n dod yng nghyfeiriad Port Talbot,
yn gweld siâp fy nghysgod rhwng Ganllwyd a Thraws,
maen nhw'n disgwyl amdana' i yng Nghoed y Brenin,
ac yn nabod sŵn fy injan sâl ar y ffordd allan o Gaernarfon am Ferodo.

Mae camera, weithiau,
ar droadau Aberystwyth neu wrth wal enwog Llanrhystud,
ar y lôn gostus o Lanbed i Lanwnnen
neu'r dynfa styfnig rhwng Temple Bar a Chribyn,
twmpathau Pen-bre a phentref Pwll,
Cwmffrwd a Charwe, Llanelli a Llwchwr;
ar y ffordd i mewn i'n prifddinas,
a'r ffordd allan o Gaersws am y Gogledd,
rhwng Llandinam a Llanidloes,
a'r stretsh am y Drenewydd lle mae'r tar-mac yn wlyb ger Gregynog;
stribed angau Llangurig a Phonterwyd,
Rhaeadr a Buallt,
y dagfa rhwng yr Amlosgfa a Maesgeirchen ac yn ôl,
neu Bow Street a'r Waunfawr,
a'r lôn ddeuol trwy Fae Colwyn am Landdulas, bob amser.

Yr ateb, mae'n debyg, ydi aros adref,
a rhoi'r gorau i'r drwydded i deithio,
peidio codi pac yn benderfynol o gyrraedd
Tŷ Mawr Wybrnant drwy'r niwl,

neu Gastell y Waun ger tyrau'r ffatri siocled,
peidio â stompio a steddfota'n Aberdaron a Thyddewi
a phob twll tîn byd;
peidio darllen cerddi,
rhoi'r gorau i'r Wyddgrug a Dinbych bell
a chân y Cann Offis
a Llangollen a Chapelulo, doed a ddelo.

Ond os ydi'r map yn hen,
llawer hŷn ydi ein llên –
a dydyn nhw ddim yn deall hynny
yn Abertawe.

Sychder

Garej Groeslon Marc, Llanrug

Rhedeg yn sych

Ar y llain galed, yng nghyffiniau hanner nos,
y mae profi gwerth gweinidog ar ei ffordd i gymun olaf,
gyrrwr Mansel sy'n tynnu am y parlwr godro,
neu weithiwr shifft sy'n ysu i gyrraedd adref;
athro ar ei drafael o'r dafarn
neu gariad ar gwrs yn ôl at ei wraig.

Rhwng y llinell wen olaf a'r coch sy'n ddiddiwedd o sych,
rhwng fflachiadau'r dashfwrdd sy'n dweud bod rhywbeth o'i le,
y mae diawlio'r ffaith fod Tesco mor bell,
fod Texaco wedi gadael yr anialwch yma,
a Shell wedi sychu'r lle,
Esso wedi ei heglu hi
a BP wedi bygro'r busnesau bach i gyd.

Yng ngolau dydd, rydan ni'n dweud eu bod nhw ym mhob man:
yn Libya ac Iran,
Irac a Sawdi Arabia,
yn Qatar a Dubai
Rwsia a China
Chechnya a Georgia,
rydan ni isio iddyn nhw fod ym mhob man,
yn drilio at y diferyn duaf eithaf
er mwyn fy nghludo i adra
drwy'r awyr sy'n sgleinio
fel oel o lân.

Gwarth

i Peter Williams

Mae banciau'n toddi'n dyrau gwêr,
mae biliau'n cronni'n bentwr blêr,
mae pawb mewn dyled dan y sêr:

Mae'r byd a'i gredyd gwyllt o'i go',
mae llog yn prynu hwyl dros dro,
mae benthyg yn ei fwyta fo:

Mae un dyn bach am fynd o'r byd,
mae'i gwymp a'i gwest yn stori'r stryd:
bu'r gost o fyw yn fwrn cyhyd.

Cilmeri

Ebrill 23, 2010, pen-blwydd Shakespeare a Diwrnod San Siôr

Y mae'i awr gan Gilmeri:
awr hen iaith ein Rhagfyr ni
bob blwyddyn – un yn unig –
awran ddewr i werin ddig;
awr hira'r rhwyg dan y fron,
un awr fel dafnau Irfon
yn yr aer, am mai awr yw
o hyd i wlad nad ydyw;
awr gaeth sy'n Shakespeare i gyd,
awr yfir i Siôr hefyd.

Rhoi awr mae fy Nghymru i
mwy i arwr Cilmeri.

Cwîn

ar faes Caernarfon ar ymweliad y Frenhines, Ebrill 27, 2010

Ei regalia yw'r gelyn – aur o hyd
uwch y Dre'; ond wedyn,
does 'r un hil sy'n ei dilyn
yn fwy saff na'r Cofis hyn.

Wal Bryn Fôn
Nasareth

Cysgod dros y crud
Capel y Drindod, Pwllheli

Hwdi ger y preseb

Nid yw doliau'r Nadolig
yn dda i ddim mewn oes ddig,
ac nid yw'r ddrama'n rhannu
ei dweud gyda'r lledar du

am fod angel poteli,
rhegi'r ffeit a'r graffiti
wedi mynd yn ffrindiau i mi;

morynion mariwana'n
euro rhith arwyr eitha',
ond yn oer fel dynion iâ;

a hwren o seren sâl
yn sgleinio, ond eto'n atal
dy iob rhag cyrraedd stabal.

Am hyn af, a minnau'n neb,
heibio i'r Iesu'n ei breseb;

dod â dwrn at feudy Duw
a rhoi, i dad dynol ryw,
fy nagrau *chav* unigryw

o ganiau gŵyl y geni'n
eiriau brag, geiriau rhy brin
i roi enaid i'r brenin;

am fod sêr gan bob Herod,
a gangiau o ddyrnau i ddod
i feddwi rhag rhyfeddod.

O, Dduw anodd o ddynol,
rho'r hen wyrth i Fair yn ôl,
ac o'r rhoi i'n gwyry', o raid,
adenydd i'r dienaid;
neu, ai dol yw Nadolig
bob blwydd oer dy bobol ddig?

Sut wn i fod geni gŵr
yn rhoi i hwdi waredwr?

Ymweliad yr angel

Heno i ni, daeth o'r newydd – rhyw olau
ar yr ŵyl ddigrefydd;
seraff a ŵyr nosau'r ffydd,
Duw ei hun ar adenydd.

Y ffordd i ryfel
Epynt

Rhuban gwyn

i gofio Alwen Jones, Dolfelin, Llanllyfni

A milwyr gwledydd rhyddid
yn hel am waed Saddam
a'r llwch dros Efrog Newydd
yn cuddio'r rheswm pam,
roedd brwydr fwy na'u terfysg hwy
yng nghalon pob un fam:

Tra'r oedd seneddwyr Llundain,
yr hac a'r ysgolhaig
yn traethu ar donfeddi
am gyrchoedd tir ac aig,
pwysai'n y Llan, fel llawer man,
ar enaid pob un wraig.

Alwen, o weld y pethau hyn,
a'n clymodd oll â rhuban gwyn.

O droi ein hofnau'n weithred
gyhoeddus drwy y wlad,
fe ddaeth i lonydd Cymru
yn draffig o grwsâd
rubanau rhydd i chwifio'r dydd
yn erbyn maes y gad:

Ond pan ddaeth gelyn arall
i hel am waed y Llan,
roedd brwydr galed, gyfiawn,
i'w chwffio yn y man,
ac Alwen fu, trwy'r dyddiau du,
y dewraf o'r rhai gwan.

Ninnau, o gofio'r pethau hyn,
a glymir gan ei rhuban gwyn.

Cân y milwr

Daeth gorchymyn dyrchafiad o Lundain un dydd,
mewn amlen â'r stamp mwya' swyddogol sydd,
a'r llith yn dweud 'Helmand' yn rhwyddach na rhydd:
i Affganistàn.

Rhag ofn y dôi dagrau, gallai ddweud wrth ei fam
na châi ei mab 'fenga un gofal o gam,
dim ond iddo lyncu y pwy, sut a'r pam
am Affganistàn.

Câi ofyn am helmed i warchod ei ben,
câi fynnu cysgodfan rhag bomiau o'r nen,
a châi ddewis ei arch - un o garbôrd neu bren -
o Affganistàn.

Yn ei sgidiau blaen haearn, yn wadnau o ddrud,
a'i fenig asbestos, yn fysedd i gyd,
fe'i lladdwyd. Mae'n gorwedd dan guddliw y byd
yn Affganistàn.

Tra'i cludir o adre', fel bwled trwy'r gwynt,
bydd llond dwy awyren yn teithio ynghynt
trwy waed awyr arall, ar Helmand o hynt:
i Affganistàn.

Rhagfyr 11
Cilmeri

Gofyn
Senedd, Bae Caerdydd

Cefn Caer

Cwilsyn hanes
sy’n cosi’r co’
â geiriau pell
ei lythyr o;

Diferyn inc
o fwrdd y wledd
sy’n dal yn wlyb
ar fin ei gledd;

Coron euraidd
un t’wysog poeth
sy’n galw’r byd
yn Bennal-ddoeth;

Owain ei hun
ar bared brad
a feiddiodd ddweud
fod Cymru’n wlad.

Bwrdd y wledd
Cefn Caer, Pennal

Cadw iaith

i Dewi R Jones, fy nghyn-athro Cymraeg

Yn nwfn co' rhoed hen stori, – i bob un
ei bennod ohoni
i'w hadrodd a'i hadrodd hi:
oni allwn, ei cholli.

Dod â ni a'n doeau'n nes – ydyw'r nod
drwy niwl oer ein gormes;
dod o'r hin i dŷ, a'i wres
yw ni'n hunain a'n hanes.

Anoddach yw bob blwyddyn – ond, o raid,
mynnwn droi o'r dibyn
a dod o hyd, gyda hyn,
i hen aelwyd y delyn.

Heibio i wag linellau'r byd – a synau
y disynnwyr hefyd,
mae un a ddwed bob munud
eiriau'r gân a'i stori i gyd:

Dewi, yn gadarn dawel,
a'i wers o'n sicr ei sêl;

Dewi fu'n hadu'n daear
wael o hyd â chwedl wâr;

Dewi'r gair, a'r gair i gall,
Dewi'n darllen a'n deall;

Dewi a gred mewn doeau
yn yr inc ar femrwn brau

yr iaith yn heniaith ei hedd;
Dewi na wêl ei diwedd.

Yn hyn oll, i'n hysgol ni,
Dewi a'i eiriau fu'r stori.

Dod eilwaith i Faladeulyn – wna Lleu
gyda llu i'w ganlyn
i gadw'r ffin, a ni'n un
elwir i ganu'r delyn.

Y lle hwn a'i holl hanes – yw ein cof,
ac mae'r cofio'n gynnes,
yr hin yn deg a'r neges
yn dod â ni a'n doe'n nes.

Yn nwfn co' rhoed hen stori, – i bob un
ei bennod ohoni
i'w hadrodd a'i hadrodd hi:
oni allwn, ei cholli.

TREFECHAN

Nos ar Bont Trefechan
Aberystwyth

Tri gair ein tranc

Mi glywais Gymro ifanc ar ei daith
ac yn ei sgrepan, cariai hwn hen iaith,

ond er mor hynod oedd yr wyddor, wir,
ni allai'r Cymro, *really*, ei dweud yn glir;

roedd naws *whatever* i'w frawddegau mâl
a marw ym mhob sill o'i yngan sâl.

Pan ddôi cyd-deithiwr ato i ddweud y drefn
am gadw'n gaeth y trysor ar ei gefn,

o'r holl ganrifoedd geiriau ar ei go',
ni allai faglu dweud dim mwy na *so*.

Mesur Iaith 2010

Ar hyd y nos sibrwd wnaf – mai un dydd,
myn duw, pryd y clywaf
y gair 'swyddogol' olaf,
fy iaith yn gyfraith a gaf.

Diwylliant dan glo
Pafiliwn Corwen

Diolch am 'lais' John Morris-Jones

i'r Athro Gwyn Thomas, ar gael benthyg caset o John Morris-Jones yn llafarganu un o gywyddau Goronwy Owen, ar gyfer ei chwarae i aelodau Dosbarth Cynghanedd Bethel

Un nos Fercher arferol
i ni nawr sy'n ddi-droi'n ôl,
am i un llais mwyn ein llên
roi tro am barti'r awen
ym Methel; am i ieithwedd
ei Gymraeg mor hir ei hedd
ddeffro, ar gaset, eto
y gân hŷn na'i ganu o.

A JMJ drwy'r lle llawn,
mae i'r wyddor amryddawn
drawiadau ac odlau gwell
na holl hanes 'r un llinell;
y mae'r gair Cymraeg ei wedd
yng nghanol ei gynghanedd
ac ias lafar goslefu'n
rhes o feirdd rhyw oes a fu:

Alaw o gân Iolo Goch
yw hi sy'n golchi drosoch;
ynddi wylodd Cynddylan
o oes bell stafell o dân;
ac â loes hen Guto'r Glyn
oedodd i wrando wedyn;
yna, yn hoff wlad Ystrad Fflur
ymdawelu mae'i dolur,
ond y hi'r farwol Irfon
ym marw oer y Gymru hon.

Un noson, ein barddoniaeth
ynddi'i hun yn ddrama ddaeth
a'n nos Fercher arferol
yn ein hiaith yn ddi-droi'n ôl
am i ŵr, yn acen Môn,
eni cân ein hacenion.

Tra'n hiaith hardd, tra bardd yn bod,
ei ddweud ef fydd cerdd dafod.

ANTI CLIMB
PAINT

Dim uwch na hyn
Gurnos, Merthyr Tudful

Roy Davies

I lys mor hen â'r heniaith
y daw hwn i wneud ei waith,
ceidwad y doc wedi dod
â'i eiriau i dŷ dihirod;
un â lladd a chyfaddef
i'w lyfrau nodiadau ef.

Roy'r gell, Roy'r gyllell, a'r gŵr
sydd yn ieithydd-gyfreithiwr,
Roy o hyd yn dedfrydu,
Roy y dweud a'r carchar du.

Roy yr atal a'r brotest,
Roy yr un *under arrest*;
ei gap-a-pig, y pwy ŵyr,
a Roy'r holi'n rhy drylwyr.

Roy'r briwiau heibio i'r ywen,
noson y llafn, trynsiwn llên;
Cain ac Abel; Roy'r heliwr,
plismon caneuon o ŵr.

Roy'r cof, Roy'r hunangofiant,
maddau i Dduw, a'r dant am ddant;
Roy'r cwrdd, Roy'r crogi, Roy'r cês,
Roy'r anadl yn yr hanes.

Yr ergyd a'r bywyd byr
yw Roy'r swyddog troseddwyr;
Roy'r dial, Roy'r dieuog,
a Roy'r un i faglu rôg.

Roy'r mwrdwr a'r myfyrdod,
dau o fewn ei waed i fod;
cwpled rhwng bwled a bedd
yw'r garw'n ei drugaredd.

Roy y llys, Roy Penrhiwllan,
a Roy a wisg hyd raean
gyffion Ceredigion deg;
Roy, model ei gramadeg.

Pwllcornol yw'r dystiolaeth
i Roy mwy am fferm a aeth;
ond Roy yw Roy, Roy ym Mhen-bre,
a Roy'r hwyl uwch "rheole".

Dditectif diedifar,
Roy'r iaith hon yw'n cyfraith wâr;
Roy'r arch sydd yn ein gwarchod,
Roy dal, Roy'r sgandal, Roy'r Sgwod.

Ein Roy ni, yr un o hyd,
Roy ddifyr, Roy'r bardd hefyd.

Argyfwng-*itis*

ar ymddeoliad Dr Elwyn Parry

Dweud wyf, heb fod hanner da,
(adref â *hypochondria*),
fod Pen'groes fy oes fy hun
yn waelach, Doctor Elwyn,
a'r nerf oedd yn Corwen House
yn cwyno am feddyg hynaws.

Ces oes â lot, lot o *tonsilitis*
a *range* i'w hatal – o *pharyngitis*
ac achos, nid sleit, o *laryngitis*
i nosau o swatio â *sinusitis*;
hitia atynt bwl cas o *otitis*
a wedyn, i weitiad, *tendonitis*;
mwy, i ti etyb fy *dermatitis*,
deuaf atat â'm *conjunctivitis*
a f'aciwtiaf *bronchitis*, (bûm glaf, do),
a disîs eto – *appendicitis*!

Mae meddyg i mi heddiw?
Mae yr un i wella 'mriw?
a Phen'groes fy oes fy hun
yn waelach, Doctor Elwyn ...

Cristion

i'r Parchedig John Owen

Rhoi i ni, bawb, y Gair yn bur, – a rhoi
ar ran yr amheuwyr;
rhoi i dy Dduw gred o ddur,
rhoi ar waith ei ysgrythur.

Calon
Dyn Haearn, Llanbedrog

Gorchymyn
Fachwen, Arfon

Howard Kendall ar wal y gegin

Rhedeg efo'r bêl y mae o
ar wal fy nghegin;
mi glywa' i Goodison yn galw ei enw
a'r crysau gleision yn gofyn iddo basio,
ond mi wn
ei fod o'n mynnu mynd bob cam
ar ei ben ei hun.

Ac y mae Howard Kendall wedi arwyddo'r llun.

Ond heno, a finnau'n ffrio tjips
sy'n crimpio yn eu saim chwilboeth
ac yn stemio'r ystafell,
mae'r cymylau'n crio dros strip Howard Kendall
a'r sosban yn anadlu y mwg drwg
sy'n heneiddio arwyr.

Mrs Elana Holt Turner ATCL

fy hen athrawes biano

Marciau pensil sy'n cilio – rhwng nodau
y dotiau, ond eto
y mae rhyw diwn *mi-ray-doh*,
am mai hon yw fy mhiano.

Cerys Mathews yn Theatr Ardudwy

Y mae hi'n eistedd ar yr hardd lech
a'i llais yn hedfan
yn cwyno
ac yn swyno
tuag ynys bell.

Ond ni ddaw dim byd yn ôl.

Y mae hi ar yr hardd lech
a'i llais yn hedfan
yn cwyno
ac yn swyno
tuag ynys bell.

Ond ni ddaw dim byd ...

Y mae hi
a'i llais yn hedfan
yn cwyno
ac yn swyno
tuag ynys bell.

Ond ni ddaw ...

Y mae hi
a'i llais
yn ynys bell.

Ond ...

Y bws olaf

ar ôl Roy, Huw ac Alun

Rydan ni i gyd yn aros am y bws olaf
yn safle dienaid y colofnau concrid yn y dref.

Mae pawb ar binnau,
yn llawn esgusodion a stumiau,
a neb, wir, yn siŵr os y daw o ai peidio,
achos mae hwn yn rhedeg i'w amserlen ei hun, on'd ydio?

Does yna ddim amser,
does yna ddim dyddiad,
ac fel y mae prif ddreifar y bysus yn ei wneud, weithiau,
mi fydd o'n newid yr amserlen i'w siwtio ei hun,
heb roi ystyriaeth i'r rhai, fel fi fy hun,
sydd yma ers hydoedd
yn dyheu, dyheu am ddiwedd nos.

Ond ers y daeth y bws olaf
dair gwaith
i gyffiniau Llandysul
a mynd â Roy, Huw ac Alun yn ôl
i'r depo derfyn dydd,
mae'n well gen i aros
mewn anialwch concrid,
yng nghysgodion y corneli,
yn yr oglau piso
ac yng ngŵydd y cwpwl a'r cusanu sydd ddim am beidio,
a dweud y gwir.

Mae'n well gen i aros.
Mae'n well gen i fan hyn.

Arwydd
Pen-yr-englyn, Rhondda

NGLYN

Yng nghynhebrwng Katie Wyn

A dihareb Llandwrog
yn y gwynt uwch Pant-y-gog,
mi awn i roi'r emynau,
un ac un, mewn bedd a'i gau.

Rhoi'r dôn iach i'r gweryd wnawn,
rhoi i gyfer mor gyfiawn
ei llan hi benillion aeth
yn eiriau gwag o hiraeth.

Down â'r garol a'r moli
i fan hyn ein llwyfan ni;
down, gan gredu'n ganu i gyd,
rywfodd, y daw'r Iôr hefyd.

Er hyn, mae'r dyrfa'n unig
dan iau melodïau dig,
y mae'n gwir i amau'n gaeth,
yn Dduw oer o gerddoriaeth.

Katie Wyn ein hemyn oedd,
un fu'n gynulleidfaoedd.

Katie Wyn ein gŵyl uniaith,
caniedydd a'i ffydd yn ffaith.

Katie Wyn y weddi wâr,
ond hi'r weddi ddiweddar.

Katie Wyn sy'n cau tiwnio
nodyn nawr o'i donau O.

* * *

Ar organ ein diddanu
yna daw, rhwng gwyn a du'n
addolgar, bob bar o'i bod
yn addfwyn i'n heisteddfod;
y mae hi'n dwyn amheuon
o lais sâl yr eglwys hon.

'Gawn ni gwrdd' yw'r gân i gyd,
a'i choelio hi'n dychwelyd
hyd erwydd plwyf Llandwrog
at y gŵyn ym Mhant-y-gog.

'Wyt ti'n clywed, Waredwr?'
oedd y siars, a'i chrefydd siŵr
yn ateb agos-ati
llawn hyder, 'tyner wyt ti'.

Hyd y daith bu 'Nefol Dad'
yn unawdau'i thraddodiad,
ond yma o hyd y mae O'n
rhoi enaid i'w soprano.

Heddiw, ac yn dragwyddol,
gwnawn ni iddi ganu'n ôl.

Daweled yw ei halaw,
heibio i'r haul a'i gwmwl braw,
cana, a chyffyrdda ei ffydd
ein heneidiau annedwydd.

Smocio efo Dic

cefais hen getyn y Prifardd Dic Jones yn anrheg ganddo

Un â harddwch ei gerddi
yn y mwg roes hon i mi:

Hen bibell, a'i llinellau
wedi'u dweud yn bert rhwng dau,
nes i sŵn ysgafna' sy'
ei hodlau droi'n anadlu;
a Hendre'r iaith, a'i bardd, dro'n
byw eu hacen mewn baco.

Ym mhib awen, mae pennill
y smociwr siŵr, fesul sill,
yn llosgi'n oslef hefyd
hyd y nos sy'n dân o hyd;
y mae'r stwmp ym mrest y dydd,
ysgyfaint oes o gywydd.

Yn y mwg cain y mae cân
a'i gafael, o, mor gyfan:
y hi yw *addict* hir-a-thoddeidiau,
cytseiniaid o raid yr holl guriadau,
hi'r angen am lythrennau – ar nos flêr,
hi ddaw â'r gêr i neuaddau'r geiriau.

Waeth i fardd un gaeth wyf fi,
ac i harddwch ei gerddi.

Ffenestr
Carchar Rhuthun

Cic
Mynyddygarreg

Hebog Al Êfs

Credais erioed
mai gêm i ddynion mawr
oedd meithrin adar ysglyfaethus;
eu porthi ar fân lygod ac adar y werin
a'u hedfan uwchlaw'r tyddynnod tlawd
yn blu welwch-chi-ni i gyd ...

Ond o ddyfnderoedd y Cymoedd,
y siediau colomennod,
yr acenion glofaol
a'r lleisiau llawn mwg sigaréts,
daeth Mai i Rostryfan
i hela ar dennyn y dyn
sy'n ffrind i mi ...

A gwelaf yn ei llygaid dienaid
a'i chyrchoedd chwil
uwch gwrychoedd ein topiau ni,
fod mwy i berthynas dyn ac aderyn
na chawell a drych a thrapîs;
y mae yma barch eneidfawr
ac ofn, o'r ddwy ochr,
a chyd-ddibyniaeth sydd fel lledar o faneg fawr ...

"Deryn gwyllt ydi deryn gwyllt,"
meddai'r arbenigwyr,
ond mae Mai yn byw ar becynnau bwyd parod
sy'n fferru yn rhewgell Alwyn a Nerys;
ac o wybod hynny,
feiddia Mai ddim hofran ymhellach
na'r trydydd polyn telegraff
o olwg y rhewgell honno.

Mae'n cadw llygad barcud ar ei rhyddid.

Mae Sharon Gogs wedi mynd

wrth edrych ar lun o Ysgol Feithrin Pen-y-groes, Pasg 1977,
ar ôl marwolaeth sydyn Sharon Vaughan Davies, Hydref 2010

Yr oedd ein pennau'n drwm gan flodau papur
a hetiau'r Pasg yn dynn am ben bob un;

yr oedd ein gwenau'n ifanc a diystyr
ar eiliad mor dragwyddol tynnu'r llun;

yr oedd Huw 'Thinog, Arwyn, Tshjinc a Cabi,
Donna, Dylan, Meinir Siop a Manon,

Aled Parry, Steven, Aled Wyn a Mandy,
Ayshea, Iwan Lloyd a Simon, Coch a Non,

Heulwen Medi, David Glyn a Linda Frazer
a finnau'n syllu'n syth i'r camera pell,

yr oeddem yno'n croesi bysedd amser,
a doedd Anti Glenys ddim yn gwybod gwell.

Ond pan aeth Sharon Gogs o'n cyrraedd ni,
mi aeth â'n hetiau blodau efo hi.

Colli Guto Aeddan

Rhy wael yw'r traffig creulon – a rhy hwyr
ydyw'r awr i'w ddanfon
yn ôl; rhy bell i'r galon
drwy li' Awst yw pen draw'r lôn.

Angel y dagrau
Aberfan

Rhoi fy nhroed ynddi

er cof am Gareth Maelor

Yr oedd o, o raid,
wedi tynnu i mewn,
wedi parcio ei fwriad,
wedi bagio mewn ffydd
i gilfan y llinellau melyn
yn y Dre'.

Yr oedd o, o arferiad,
wedi canu ei gorn,
wedi gorfodi'r drws yn agored,
wedi fy hysio innau i'r sêt tu blaen
am sgwrs.
Yr oedd hyn drannoeth y datguddiad mawr.

Ac yr oedd o, o argyhoeddiad,
yn wyneb diffyg amynedd,
wedi cadw ei ben,
wedi brathu ei dafod,
wedi anadlu'n ddwfn
pan fentrais dorri tawelwch y dweud efo jôc:

"Rydach chi wedi parcio ar linellau dwbwl, on'do?"

Ac yr oedd o, mewn chwerthiniad,
wedi ateb yn strêt,
fel 'tasa fo'n twangio saeth-weddi fyw
neu'n anfon e-bost at ei dduw:

"Paid â phoeni, fydda' i ddim yma yn hir."

Yr oedd o, a finnau efo fo, yn crio,
yn gwybod nad oes, byrred ein heinioes,
roi brêc ar y gwir.

Amgueddfa Cymru
Tomen Coety, Blaenafon

Rhamant

Anti Megan, d'wedwch i mi,
wedi i ni fod acw'n eich byddaru chi
ac yna eich gadael yn oer ar eich pen eich hun;
wedi diffodd y teledu,
wedi i'r dydd grebachu,
wedi i'r tŷ ddistewi,
wedi i'r tacsi olaf yrru heibio i'r ffenest ffrynt,
wedi i'r canu ar y casét beidio,
wedi i bobol drws nesa' fynd i'w gwlâu,
wedi i chi roi'r gorau i gofio ddoe,
be' wnewch chi?

Darllen llyfr Mills & Boon,
un yr wythnos,
bob un wythnos.

Ac mae hynny'n egluro,
rhwng bwletinau o gasineb a ffilmiau sy'n lladd yr enaid,
pam fod yna, i rai,
ramant mewn byw
i fod yn nawdeg pedwar.

Blodau Robin Peintar

Garddwr ydw i sy'n hoffi'r syniad o dyfu llysiau
a chynaeafu blodau,
a'u harddangos mewn sioeau,
ac ennill cardiau cochion
am fy ymdrechion;

garddwr sy'n dymuno gosod plansyn tomato,
fel gwnaeth Taid Trefor, Taid Sir Fôn a 'nhad,
mewn tai gwydrau chwilboeth
i dyfu'n dal trwy'r gwrtaith gwymon
tua'r ffenestri agored yn y toeau
ac ildio ffrwythau blasus, crynion;

ond garddwr sydd heb yr asgwrn cefn
i rawio'r pridd trwm ganol gaeaf
er mwyn ysgogi bywyd yn y tir llwyd,
garddwr a fyddai'n esgeuluso'r bwydo,
yn anghofio'r tocio a'r sgwrsio
ac yn methu â delio â'r tacluso;
garddwr sy'n ofni disgwyl blagur, disgwyl gormod,
garddwr sy'n gwneud dim byd ond plannu gobeithion.

Mae'r garddwr go iawn, yn ystod ein sioe flynyddol –
o sylwi ar fy llygaid soser yn edmygu'r crysanthemwm crwn -
yn rhannu gwirionedd mawr:
"Mae pob petal o'r rhain wedi ei drin fesul un,
mi fues i wrthi efo brwsh bach, bach, yn eu siapio nhw fy hun."

Blodyn, yn sydyn, sy'n debyg i ben gwalltog
y bu steiliwr oesol yn cymryd dileit yn ei drin,
a dw i'n deall pam na wna' i byth arddwr –
mor ddiamynedd o ddianrhydedd
ydi fy rhyfeddod.

Mae'n fyw
Eisteddfa Gurig, Powys

Printar Islwyn Ffowc

Y peth olaf ges i
ei wneud i chi
oedd eich cyfarwyddo;
dweud sut i gynhyrchu geiriau
ar ddalen wen:

chi, o bawb, a'ch bywyd
yn gyfres o benodau
hwy na fy nofel gyfan.
Ond rhaid oedd ufuddhau:

"Karen fach," meddech,
"helpa fi i argraffu hyn o eiriau sydd ar y sgrin
ar y papur glân hwn
sydd mor barod amdanyn nhw."

A finnau'n gwneud,
gan adael fy nodiadau blêr
yn sgrap o nodyn,
at y tro nesaf:

ac yna gadewais eich byngalo,
chi, y llenor-go-iawn,
gan sgwario'n dawel
yn ôl i'r strydoedd anllythrennog.

Tristyd

er cof am Arwyn Roberts

Mae Moelfre wedi marw,
mae'r môr yn cysgu'n drwm,
mae'r Ynys ac mae'r dosbarth
yn dawel ac yn llwm;
mae hiwmor iach yn crio,
mae coed Llanallgo'n brudd,
mae dagr ger Din Llugwy,
mae deigryn ar fy ngrudd.

Mae pader y Morysiaid,
mae Marian-glas mewn arch,
mae hwyliau'r Royal Charter,
mae'r Wylfa'n ddillad parch;
mae'n bwrw yng Nghalifffornia,
mae'r boen yn llond Bryn-teg,
mae rhwyg yn llen Paradwys,
mae Benllech mwy yn rheg.

Mae Moelfre'n dechrau gwenu,
mae Moelfre'n clywed cân,
mae Moelfre'n gweld rhyw olau,
mae Moelfre'n donnau mân;
mae Moelfre'n codi angor,
mae Moelfre'n dweud y gwir,
mae Moelfre'n cofio Arwyn,
mae Moelfre'n chwedl hir.

Glaw a golau
Mignaint, Eryri

Mapiau

Dalen wen, cyn fy ngeni,
ydyw'r wawr a'm crwydro i,
un map o helyntion mud
yn y byw cyn cael bywyd.

Yna, i siart yr hen oes hon,
i anialwch gorwelion,
rydw i'n dod i ffawd-rodio
â Duw, 'n ôl ei gwmpawd o.

Heb betruster i'r gweryd,
yr un yw'r llwybr o hyd,
y lôn i'w thrafaelio hi
yw'r un rwy'n gwyro ohoni,
a'r un ofn sy' i'r siwrnai hon
am mai hi yw f'amheuon.

Yn y lôn, gwn eleni
mai un tro sy' i'm hantur i –
ar fapiau'r dyddiau, nid oes
inni ond cwrs un einioes;
a dymuniad, am hynny,
rhyw nef wen, a'r hyn a fu.

Rydych chi yma
Pont Sir y Fflint

Digyfeiriad
Brongest

CARDIAU POST O EFROG NEWYDD
2000-2011

O'r awyr

Mae i mi ryddid mewn adenydd
a gwelaf dyrau a thyrau
yn estyn i'r glas mawr eang ...

Maes awyr JFK

Stampio pasbort rhwng dau olau:
draw dros y ffin, mae yna gysgod
yn aros amdanaf.

Skyscrapers

Dyrchafaf fy llygaid
a gwelaf, rhwng swyddfa a phentows
yn y ddinas ddi-gwsg,
y cyfoeth a'r gorthrwm gwydrog.

Subway

Pan glywaf drên y nos yn pasio,
gwn y bydd graffiti pobol ddoe
yn crynu yn y waliau.
A dyna'r rhybudd:
nid yw trên byth yn stopio
i holi hanes dy sedd wag.

Grand Central Station

Pan mae'r bachgen sgleinio sgidiau
wedi gorffen y gwaith,
fe all wenu rhyw gyfrinach arno'i hun;
ond mae'r patent yn y lledr mor ddu.

Tacsi

Gadewais fy maneg ar sedd gefn:
mae'r tacsi wedi hen adael,
heb godi llaw.

Bws

Ar ei ffordd am adref
mae mam â'i phen yn ei drych
yn ail-baentio ei gwên.

Amgueddfa Ellis Island

Bwndel bagiau,
geriach, esgidiau;
rwy'n tisian yn llwch fy nghyndeidiau.
Ond draw dros donnau amser
mae sŵn eroplên yn y pellter.

Breuddwyd fawr

Trempyn, jyst trempyn, yn cysgu.
Mae'n cydio'n ei Feibl
ac yn breuddwydio'n dynnach.

John Lennon

Mae yna lecyn ymhell o slymiau Lerpwl
y gŵyr y byd amdano.
Yma y mae ysbryd Lennon
yn gofyn i ni garu'n gilydd
ac yma, rhwng amneidio a phrynu a byw y freuddwyd,
y cofiwn ni am feysydd o fefus
a mwg melys, melys
ac am fwled oer.

Ar ben adeilad yr Empire State

Er i mi ddringo'n uchel
ac edrych i lawr,
y maen nhw, isod,
yn rhy brysur yn byw
i weld y twrist ar y tŵr.

Clustfeinio ar sgwrs, gwesty'r New York Plaza

Does dim rhaid iddi ateb nawr,
does dim rhaid iddo gael gwybod yn sicr,
dim ond iddi gofio iddo ddod â hi i le hyfryd fel hyn
ac iddo ddod â'r botel Champagne
a'r fodrwy
a mentro gofyn iddi hi, o bawb, "A wnei di?"

Central Park

Tawelwch o'r diwedd -
ond rwy'n methu â deall
i ble'r aeth yr holl sŵn.

Eglwys Bedyddwyr, Harlem

Mae'r côr du yn crynu, yn gweryru,
maen nhw newydd daro
yr un nodyn â'u Duw;
rwy'n clustfeinio
a chlustfeinio
ond chlywa' i mo'r dôn
uwch clinc-clinc-clinc y casgliad
ar y plât pres yn yr oriel.

Tiffany & Co.

Mae'n rhaid craffu trwy'r gwydr dwbwl
yn y ffenest fach, fach:
nid yw'r siopau drutaf
byth yn fflachio eu prisiau
ar y byd.

Bloomingdale's

Clywaf lifft swnllyd yn agor:
mae'n wag, mae'n cau,
mae ar ei ffordd i fyny.

Macy's

Gwn, heb sbïo,
fod y drych hwnnw yn adran y dynion
yn fy mesur
yn fy nilyn
trwy'r drysau gwydr
i'r stryd.

Marchnad awyr agored

Label gwarant oes
wedi colli hyder yn ei yfory,
yn ei daflu ei hun
i'r hen wynt creulon oer;
gyda hynny, nid yw mor hawdd prynu ei fargen.

Times Square

Dyrchafaf fy llygaid gyda'r dorf daeog
gan aros i eiriau'r newyddion
fflachio eto yn un stribed neon …
mae'n fy nallu.

New York Comedy Club

Dim ond fi sydd ddim yn chwerthin
wrth iddo adrodd jôc ...
mor dawel, unig, yw fy niffyg hiwmor.

Bagel, plis

Stondin cornel stryd:
mae'r boi â'r cap pêl-fâs yn troi sŵn y radio i fyny
ac yn dewis darllen gwefusau fy archeb.

Broadway

Bysgar ar balmant enwogrwydd:
ai llwch o sêr sy'n syrthio
i'w gês ffidil agored?

Nuyorican Poets' Cafe

Darlleniad hwyr,
ac y mae yna ryw gysgodion
yn hongian
o'r geiriau goleuedig.

Diner ben bore

Coke mewn cwpan papur
a'r byrger a'r caws yn blastig –
nid yw'r ddinas hon
yn blasu fel gwlad ddieithr.

"It's Show Time!"

Y mae wynebau Broadway mor arwynebol,
ac mae'r ciw mor gelwyddog o unffurf
wrth aros am sioe Jekyll & Hyde.

Clwb jazz

Gwn fod bywyd yn anodd,
ond mae'n bownd o fod felly
i gyfeiliant mor drist.

The White Horse, Greenwich Village

Un bach,
mawr, naci bach,
naci mawr arall, plis:
hon, wedi'r cwbwl,
oedd tafarn noddi gormodedd Dylan.

Chinatown

Mae Asia ym mhob arwydd
y mae fy llygaid crynion i
yn methu â'i ddarllen.

Starbuck's

Ebychiad bore Sul:
mae fy mwg yn llenwi
â chymylau chwilboeth.

Hell's Kitchen

Rhwng y Maffia a Charlie's Angels
mae yma, yn wastadol,
yn yr East Side
arfau ac awydd
i wneud cawl o bethau.

"Don't Walk"

A wyt ti, weithiau, gyd-gerddwr,
yn gwylltio â gorchymyn y goleuadau?
A ninnau wedi credu erioed
ein bod ni'n rhydd ...

Ground Zero

Roedd i mi ryddid mewn adenydd
nes i mi, un dydd Mawrth,
weld eroplên yn plymio i ddyfnderoedd casineb
gan chwalu'r chwareli gwydrog yn ddim;
a dyna sut aeth dyn i lawr i sero.

Ar y ffordd i Glyn Cuch
Pen Llwyn Diarwya

Mwslimiaid yr A55

Os mai defosiwn ydi'r darn rhwng 'Fy Nuw' ac 'Amen',
defosiwn, hefyd, ydi plygu pen
nes bod eich talcen
yn cyffwrdd â'r llawr.

A minnau'n gyrru, gyrru,
yn llyncu'r ffordd ddeuol ar draws fy Nghymru
un pnawn Sul, chwe munud wedi tri o'r gloch,
mi welais ddau ŵr yn ddeddfol eu gweddi
mewn cilfan argyfwng;
eu matiau wedi eu gosod yn sgi-wiff ar y tarmacadam,
eu hwynebau mor danbaid â'u tiwnics cotwm gwyn,
a'u cyrff wedi'u plygu mewn ple
i rywun neu rywbeth na ddeallaf i.

Ond eto, wrth geisio pasio,
roedd hi'n anodd peidio
â throi fy mhen i sbïo
ar eu gweddïo
mor gyhoeddus,
mor dawel a llonydd mewn byd o lonydd,
mor ddiwerth o'u delwedd eu hunain mewn oes ddi-dduw;

mi wasgais rhyw ychydig ar y brêc
a chau un llygad.

Dw i'n dod yn ôl

Dw i'n nabod lot o lefydd yn y byd,
'di caru a 'di'u ffraeo nhw i gyd,
a dw i 'di byw pob celwydd dan y sêr,
a chanu 'nghân hunanol i mor flêr.

Ond pan mae ll'gadau'r holl ffenestri'n cau
a gwên pob drws agored yn gwanhau,
yr angylion sy'n fy nabod i'n prinhau,
dw i'n dod yn ôl.

Mae 'mhres i wedi'i wario i gyd ers tro
ac ar ôl rhedeg 'ffwrdd, dw i'n dal ar ffo,
dw i'n gaeth i neb, yn byw i mi fy hun,
'di gwisgo'r crysau-T a thynnu'r llun.

Ond pan mae ll'gadau'r holl ffenestri'n cau
a gwên pob drws agored yn gwanhau,
yr angylion sy'n fy neall i'n prinhau,
dw i'n dod yn ôl.

Dw i 'fyny, lawr, dw i eisiau cariad clir,
achos wyddwn i ddim fod lonydd ddoe mor hir;
dw i'n dechrau gweld, dw i'n neb i'r byd a'i sbri,
a dw i'n ofni gofyn, pwy ydw i i chdi?

Ond pan mae ll'gadau'r holl ffenestri'n cau
a gwên pob drws agored yn gwanhau,
yr angylion sy'n fy nerbyn i'n prinhau,
dw i'n dod yn ôl.

"THPW 1921"

beudy Oerddwr, Beddgelert

Oerddwr yw, ond bardd Rio – un noson
ddaeth yn nes at goncro
y moelni maith wrth weithio
oriau oes dyn i'w drawst o.

Gwres

O begwn i begwn byd, – i wennol
mae'n anodd dychwelyd
am mai oer yw Mai o hyd
a'r haf yn eira hefyd.

Talacharn

Ebrill 2010

Hongian mae cysgod angau – yn y lle,
ac un llais yn eisiau;
mae 'deryn mud ei eiriau'n
rhy gaeth, am fod Brown's ar gau.

Efo Iwan

Pacio'i gês. Pacio'i gusan. Hyn i gyd,
ac mae'n gadael rŵan.
Allwedd, a cherdded allan.
Dyna yw mynd yn y man.

Ar daith
Glyn Ebwy 2010

Pancan

Maen nhw'n sbïo i lawr eu trwynau arna' i,
y ceir sy'n llawn wynebau wrth fynd heibio,
mae'r *wing* a'r *mirror* blaen 'ma wedi'i chael hi,
ond neb am ddallt o'n i ar fai ai peidio:

Un Audi smart, bathodyn Merc ariannog
a Volvo telynegol fel y gwynt
yn gwenu'n glên ar hen fan Fiat oriog
a phob Espace – mor gyfain yw eu hynt:

Ond mae fy ngherbyd i a'i gorff yn hyllbeth,
yn dolciau a milltiroedd drosto i gyd,
yn tagu'i ffordd o'r nos ond, er mwyn popeth,
yn gyrru'n syth i dwll y domen byd.

Mae'n brifo, ac mae'n gamp i dynnu allan,
achos dim ond rhai sy'n mentro sy'n cael pancan.

Tywyn

rhan o sesiwn Unnos ar Radio Cymru efo Cowbois Rhos Botwnnog

Mae'n bryd i mi gael gwaed, a dw i'n cyrraedd Tywyn,
mae'n bryd i mi gael gwaed, a dw i'n chwilio am rywun,
mae'n bryd i mi gael gwaed, ac mae gen i gynllun:
Deio!

Dydi o'm yn yr eglwys fach, na'r archfarchnad chwaith,
dydi o'm yn yr hen sinemâ, nac ar y bws saith,
dydi o'm yn y lle dôl, a does ganddo fo'm gwaith:
Deio!

Mi ddes i ar drip i yma rhyw dro,
mi ddes i ar drip, ac mi ddes efo fo,
mi ddes i ar drip, ac mi es i o 'ngho:
Deio!

A rŵan dw i'n ôl, o ben dua'r byd,
a rŵan dw i'n ôl, yn ddial i gyd,
a rŵan dw i'n ôl, yn wallgo' o hyd:
Deio!

A dyna lle mae o, yn y dafarn yn farw,
a dyna lle mae o, yn fwy fflat na'i beint cwrw,
a dyna lle mae o, yn rhy wan i wneud twrw:
Deio!

Mae yna un, dau a thri a phedwar yn awr ar y trên,
mae yna un, dau a thri a phedwar o bobol fach glên,
mae yna un, dau a thri a phedwar na chaiff dyfu'n hen:
Deio!

Aros
Gorsaf Rhyd-ddu

Hem ei rhyddid

Un o wlad Groeg oedd Mam Spiros,
yr oedd pawb yn gwybod hynny –
dyna ddywedai ei hacen hi:

un ddaeth yma ar ddiwedd y rhyfel mawr diwethaf –
dyna ddywedai ei chroen olewydd:

ac mi syrthiodd mewn cariad â milwr o Sir G'narfon –
dyna ddywedai'r disgleirdeb yn ei llygaid:

Un o wlad Groeg oedd Mam Spiros,
a dychwelai at ei theulu ambell haf –
dyna ddywedai'r pellter yn ei gwên.

Ond fisoedd wedi ei hangladd hi,
a ninnau'n trafod,
fel y byddwn ni,
wleidyddiaeth 'g' fach, sut mae torri cytings jereniyms, a galar;
dyma un o'n plith
yn lled-hiraethus rannu stori
am ferch ifanc â chroen olewydd
yn hwylio o Porteus yn y pedwardegau oer
a'i mam ofalus,
cyn codi llaw yn hir arni yn y porthladd unig ger Athen,
wedi ymorol i wnïo i mewn i hem ei chôt fawr
bris tocyn adref –
rhag ofn:

a ninnau i gyd, yn baneidiau tawel a dagreuol,
yn cofio eto, am y tro cynta' heddiw,
mai mynd a dod ydi bywyd,
o ddewis gadael, ac aros o raid.

Dyledion Rembrandt a fi

Y mae hi'n gysur, weithiau,
wrth dyrchu pocedi pob un gôt yn y tŷ
am y ceiniogau coll ar ddiwedd mis;
neu symud soffa,
codi ornaments
a chwilio eithafion y drôr bellaf am arian gwyn i wneud punt;
clywed fod beilïod yn ymweld hefyd
ag artistiaid enwog
gan drybowndian drymiau'r bore bach ar y drws ffrynt
cyn gorfodi eu ffordd i mewn o'r stryd serog
at y cysgodion anweddus
a'r budreddi,
y chwalfa syniadau
a'r anwadalwch tew;

i gario eu treth gyngor allan ar ffurf cadair eisteddfod,
sgets enwog ar syrfiét yn gyfnewid am gostau British Gas,
coron am drwydded deledu,
neu'r set ddigidol LCD HD i setlo hen fil ffôn.

Rembrandt oedd yn iawn.
Meddiannwch y tŷ, meddai,
clöwch fi yn y düwch i ddod â fi at fy nghoed,
sbydwch y darluniau a'u gwerthu nhw i gyd am bres budr,
ond chewch chi byth, byth eich bachau
ar fy awen werthfawr a glân.

Cysgodion
Boathouse, Talacharn

Safle bŵs
Y Sgwâr, Dolgellau

Eira ddoe

ar ôl gweld ein stryd dan eira ac olion traed hyd-ddi

Bore oer, a bu'r eira'n
pluo lôn cymdogion da
hyd y rhes lle mae'r drysau,
un ac un, bellach ar gau.

Mae doeau y gwadnau gwyn
yn hewlydd braf eu dilyn,
ac mae pafin cyfrinach
heibio i'r byd o lwybrau bach
rhwng tŷ a chartref hefyd;
hen oes o draul lle bu'n stryd.

Mor wyn oedd, ond dadmer wnaeth
a diogi'r gymdogaeth.

Ffynnon Eidda

"Ŷf, a bydd ddiolchgar"

Y mae, ar ymyl ambell lôn,
ffynnon i'n croesawu
ar y daith;

ac mae, ar dirlun melyn y Mignaint,
werddon a ddisychedodd
oesau maith;

Ffynnon Eidda ydi honno
sy'n para i ildio'i dŵr
yn fy iaith;

ond er hyn, ni ddiolchaf iddi
nes y dweda hi ei geiriau
eto, un olaf waith.

Lifft gan Mansel
Llanfyrnach

Y Plu, Llanystumdwy

Am fod bywyd fel gwydyr,
yn farw o fwrn neu'n fyr, fyr;

am mai rownd ym mar yr iaith
a gawn-ni'n unig, unwaith;

am fod gwg a'i gwrw gwan
yn yfed fy nghân gyfan,

mae'i winoedd. Ac, am hynny,
ym mhen bob lôn, mae 'na Blu.

Tro'r trai
Porthcawl

way round
the track

Tynnu i mewn
Ffair Llan 2010

Wedi'r ffair

Ar ôl i'r golau ddiffodd
ac i'r stondinwyr ffoi,
ar ôl i'r trên bach adael,
ar ôl i'r olwyn gloi;

pan hegla'r *one armed bandits*,
pan freua'r tedi bêr,
pan fydd y ceir yn ddarnau
a'r candi fflos yn flêr;

gwn, bydd y llestri'n deilchion
a'r stryd yn india roc,
a chefnau'r cardiau ffortiwn
yn dyllau dartiau toc;

bryd hynny, fe fydd aur y byd
mewn 'sgodyn bach – ond am ba hyd?

Rasio llygod

Ram Inn, Cwmann

Pwy ŵyr pam y bu i ni,
bobol wâr tafarnau'r gorllewin,
ryw dro gliwio peipiau plastig
yn rhesi
ar gefnlen o hardbôrd wast a ganfuwyd mewn garej;
gweithio cytiau bychain, wedyn, bob pen i'r rhodfeydd
fel dwy ystafell werdd addas i greaduriaid di-deledu;
a gosod drws o bren ar bob un
i syrthio'n gaead fel gilotîn,
yn ôl ei bwysau ei hun,
ar rawd o garped melfaréd,
a'r tréd yn ddi-droi'n ôl?

A phwy all egluro be' wnaeth i ni,
sy'n rhedeg ein rasys ffawd ein hunain
mor drwsgl a chloff,
ddweud mai da fyddai gadael
ein hystafelloedd byw di-lun ein hunain
er mwyn gwylio (am dâl)
rhyw lygod gwynion
yn rhedeg am eu bywydau byrion
o un ben peipen i'r llall,
rhwng ein peintiau a'n pyntio ni.

I lygoden wedi'i dal rhwng cwt a chwt
ar ganol mygdod ei thwnnel enwogrwydd diddiwedd,
a'r drysau plei wedi cau o bob tu,
ofer ydi trio perfformio tin-dros-ben;
y mae ei ras ar ben.

A ni, sy'n bwydo ein bodlonrwydd trwy ysu hyn i gyd?
Fe wyddom am y clostroffobia cawslyd hwnnw'n iawn.

Symud piano

Roedd hi'n joban ar ei hanner.

Un noson o Ebrill, ar noswyl fy mhen-blwydd,
mi benderfynaist fod angen symud y piano
y munud hwnnw;
nid fory,
nid rywbryd cyn diwedd y mis,
cyn i ni orffen papuro dros y doeau sy'n haenau ar y waliau
na phrynu carped i guddio ôl traed pobol ddoe yn y lloriau ...
Doedd yna ddim graddfa
na chresiendo,
dim ond gwneud. Rŵan.
Roedd pethau mor ddu a gwyn â hynny i ni.

A dyna ni'n troi'r offeryn
yn ei unfan
ar ei olwynion hynod o gymwynasgar,
ac anelu'n ymosodol am y drws
am y lobi rhwng y lolfa a'r parlwr,
yr hen gartref a'r newydd ...

ond mi faglodd yr olwynion ar drac styfnig
ac yno y buom
yn gwthio
a thynnu
yn rhegi
a dyheu
yn ffraeo
ac edliw
yn methu â symud o'r unfan
wedi'n comitio
ac eto'n methu â symud
yr un ffordd na'r llall ...

Welais i mohonat ti wedyn.
Ond, bob dydd,
wrth fynd a dod o fy nhŷ fy hun,
ro'n i'n newid fy siâp wrth wasgu heibio i'r horwth
oedd wedi'i onglu'n sownd yn nrws fy stafell fyw;
a phob tro yr eisteddwn
ac y ceisiwn ymlacio,
yng nghornel fy llygad
yr oedd hi
a'i nodau mud
wedi'u dal.

Nes un noson,
wedi cael digon
ar ei mudandod cyhuddgar
mi wthiais i'r piano yn ei hôl,
ei throi yr holl ffordd rownd ar ei hechel ei hun,
a'i gwthio o'r newydd, o gyfeiriad newydd,
trwy'r un porth i gân newydd,
ac fe aeth!

Ro'n i am i ti wybod,
flwyddyn a phedwar mis ers i ni gael ein hunain mewn twll,
fod y joban wedi ei gwneud,
a minnau'n ymarfer darnau newydd sbon.

Am y boced
Cann Offis, Llangadfan

Mark Williams

Mark Williams, ai snwcer i ti
ydi dy gael dy hun mewn cornel,
ydi symud fesul hanner modfeddi,
ydi bod yn gaeth i onglau pobol eraill,
ydi gorfod defnyddio ffon,
ydi gor-ymestyn ar fwrdd caled,
ydi ffrâm hir, hir,
ydi ofni suddo'r wen,
ydi ysu am gyrraedd diogelwch y 'D'?

Mark Williams, ai snwcer i ti
ydi methu gweld y las,
ydi ffowl ar y binc,
ydi gêm hwyr,
ydi ciwio'n dynn ar y cwshin,
ydi gorffen mewn cwmwl o sialc,
ydi colli'r frwydr feddyliol,
ydi byw ar y bês sy'n breuo,
ydi meddwl bob dydd am y boced ddu olaf?

Cwpledi

Ni yw'r wlad sydd am gadw
llannau'n hiaith, a'u cestyll nhw.

Heno, a heddiw'n hanes,
awr yn hwy yw'r hyn na wnes.

Rhwng bwledi, gweddïwn:
awn i gyd i brynu gwn.

Draenen wen yw'n ha' o hyd
a hydrefau'n dur hefyd.

Mae pwyth gwlanen ein menig
wedi'i wau am ddyrnau dig.

Yn oesol mi gei rosyn,
a chei o hyd ardd o chwyn.

Defaid a Mansel Davies –
gyrr y rhain ar ryw gêr is.

Byw heb weld ei baw ei hun
mae hwch, o briodi mochyn.

Gwariwn, a'n llog yn ddiogel;
gwario'n wag arian i'w hel.

Yn hoelion a nefolair
gweddïau mud, gwyddai Mair.

Yn y golau
Pier Bangor

Dim ateb am hanner nos
46, Glanrafon

Toccatta a Fugue

Gwelais y wraig
a'i chorff yn farc cwestiwn
yn ei hateb ei hun,
y noson y daeth miwsig Draciwla
i eglwys Biwmares;

organ a'i bysedd braw
yn llenwi lloriau gothig
y cerrig ateb hir;
y miwsig sy'n dirgrynu
ac yn mynnu chwarae mig
efo'n mynd a dod rhwng colofnau –
yn corddi'r gwaed,
yn ddagr trwy'r galon:

a rhyw ofn hŷn na'r haul
yn agor arch
yn y llygaid oesol
a'r corff sy'n plygu'n ymholgar.

O, gwelaf y wraig.

Gwylanod Hirael

Mae gen i ofn gwylanod Hirael:
onid dyna ydi bwriad eu llygaid mellt
a'u pigau melyn?

Mae gen i ofyn gwylanod Hirael:
sy'n gwylio, bownsio rhwng biniau
lle y ceisiaf innau
daflu papurau ...

Mae gen i ofn gwylanod Hirael:
oherwydd y maen nhw
wedi blasu fy sglodion hallt
a finag fy enaid.

Llosgfynydd

I fynydd fy nedwyddyd, – y lludw hen
a'i hollt oer, ddisymud,
daw'r awr pan ffrwydra o hyd
fy Feswfiws i hefyd.

Agor y glwyd
Hen fart anifeiliaid, Yr Wyddgrug

Mae yna hen ffordd

Wedi i mi eich danfon
i Fanceinion
a'ch gadael yng ngofal y nyrsus Saesneg, clên;
wedi diosg eich dillad bob dydd
a gwisgo amdanoch byjamas eich cyflwr,
ni freuddwydiais i erioed
y byddai, ynoch chi,
lais yn deffro
ac yn eich arwain yn unswydd
i holi'r ffordd adre'
gan geidwad y maes parcio
yn nyfnder nos.

Ac wedi i'r nyrsus Saesneg, clên,
eich canfod yn eich hurtrwydd
yn droednoeth gyda'r wawr,
yn crynu'n oer yn eich byd o gwsg-gerdded,
a'ch hebrwng yn ôl i ward y gwella,
doeddech chi'n cofio dim byd,
ond Cymraeg.

Ac alla' i ddim anghofio
eich greddf i droi
o'r lle uffernol hwnnw, a ffoi
yn ôl dros y ffin.

Tudur a'i fuwch

Ar dro bach ar dir y stad,
a finnau wedi fy oeri gan stori,
yng nghanol y coed,
am lys barn y brain
a sut yr aeth haid o'r adar
ati i fwrdro un o'u haelodau crawciog nhw'u hunain
ar frigyn pigfain, pigfain;
anelais am gwmwl neon o olau,
am hafan rhag darluniau fy nos.

Ond, a minnau ar drothwy'r buarth cyfagos
yn llawn sgerbydau tractorau
ac anheddau yr hanner-dorau,
credaf, do, gwelais,
trwy niwl oren y noson honno,
ffermwr yr ysgwydd unig
yn arwain buwch yn ara' bach
allan o'r sied i goncrid yr iard ddieiriau o ynysig
a rownd a rownd o flaen y tŷ.

Bu iddyn nhw ill dau rewi
a syllu'n stond wrth fy ngweld i.

Gwelais innau gartre' cymhlethdod hŷn na brain.

Llam
Pulpud y Diafol, Bwlch Tal-y-llyn

Anfarwoldeb
Riverside Taxidermy, Llangollen

Tacsidermi

Daw pobol o bob cwr
â'u lladfeydd i'r lle hwn:
yn ddyfrgwn ac ysgyfarnogod,
yn foch daear a llwynogod,
wedi eu sbydu rhwng cloddiau
yn oriau mân y boreau,
ac ambell dylluan wen wedi ei rhwygo o'i hynt drwy awyr y nos
wedi gwrthdrawiad â fan uchel
neu deiars didrugaredd.
Dônt yma i fyw drachefn.

Ac ymhen wythnos
bydd y corff ysblennydd yn y ffenestr hardd
yn ysgyrnygu ei ddannedd neu'n ffanio ei blu,
yn dangos i bawb ei harddwch fel yn yr oes a fu.

A dyna sy'n gwneud i mi gredu
mai dyna pam y down ni â'n lladdfeydd i'r lle hwn:
er mwyn i ninnau bara'n hirach na'r oes hon
sydd weithiau'n siomedig o sbloets
ar lôn hir a throellog rhwng dau olau,
yn hyn-a-hyn o ddyddiau, a dim mwy na hynny.

Fel y mae Douglas, y tacsidermydd, yn eu dad-berfeddu nhw –
yn eirth a chŵn a chathod a llygod neu dyrchod albino –
mae'n ail-greu eu cyrff â gwydr ffeibr
ac yn eu stwffio â bywyd
sydd gystal, os nad gwell, na chynt.

A'r enaid, Douglas?
Be' wnest ti efo hwnnw?
Mae'n codi ei ysgwyddau tua'r nefoedd
yn ei gôt wen, wen.

Bwrdd smwddio

Y mae, yn nefnydd dyn, rhyw hetar cudd
sy'n crasu pob un graith ar ddiwedd dydd;
mae'n llosgi o fodolaeth staeniau'r daith
nes troi y lliain blêr i'r llyfnder maith.

Ond gwaeth na gorfod gorwedd ar y bwrdd
cyn i fy esgusodion stemio i ffwrdd
na smwddio'r siwt ar ddiwedd gyrfa wych,
fydd gweld fy hun yn ddim ond gwisg ddi-grych.

Pry' yn y pren
Capel y Beirdd, Eifionydd

A fynno Duw, a fydd?

ar farwolaeth Endaf yn saith mis oed

A ni'n neb yn wyneb anwybod – oer,
haws yw dweud mai'r duwdod
biau einioes babanod
na chredu felly i fod.

Yfory

Pan brynais fy hen galendr
a'i hongian ar y wal,
mi gredwn, ym mhob ffenest wag,
fod amser wedi'i ddal;
a thrwy'r holl fisoedd llwyd, di-glod,
roedd pob yfory'n hir yn dod.

Pan rwygais ddalen ddwytha' un
hen almanac y mur,
diflannu wnaeth pob gobaith gwag
yn ddim ar hoelen ddur;
a dweud mae'r misoedd llwyd, di-glod,
fod pob yfory wedi bod.

Mae clychau Penbronnydd?

Mae pobol B'esda'n gwybod
mai ym Mhenbronnydd
y gwelodd un bardd lond llethr o glychau'r gog,
ac iddo ganu i baent a byrhoedledd y blodau
cyn iddyn nhwthau,
byrred eu hafau,
beidio â bod.

Ond, pan es i i chwilio
am y porffor gwantan,
gan fesur fy nghamau yn ôl planiad y coed tal
a ffiniau y crawiau llechi,
doedd dim byd ond glaswellt yno;
dim blodau na phersawrau,
dim awgrym o hafau
byth eto.

Pam na cha' i gredu
mewn yfory
heb orfod mynnu
gweld nyth y gog?

Glas
Gardd Fotaneg Genedlaethol, Llanarthne

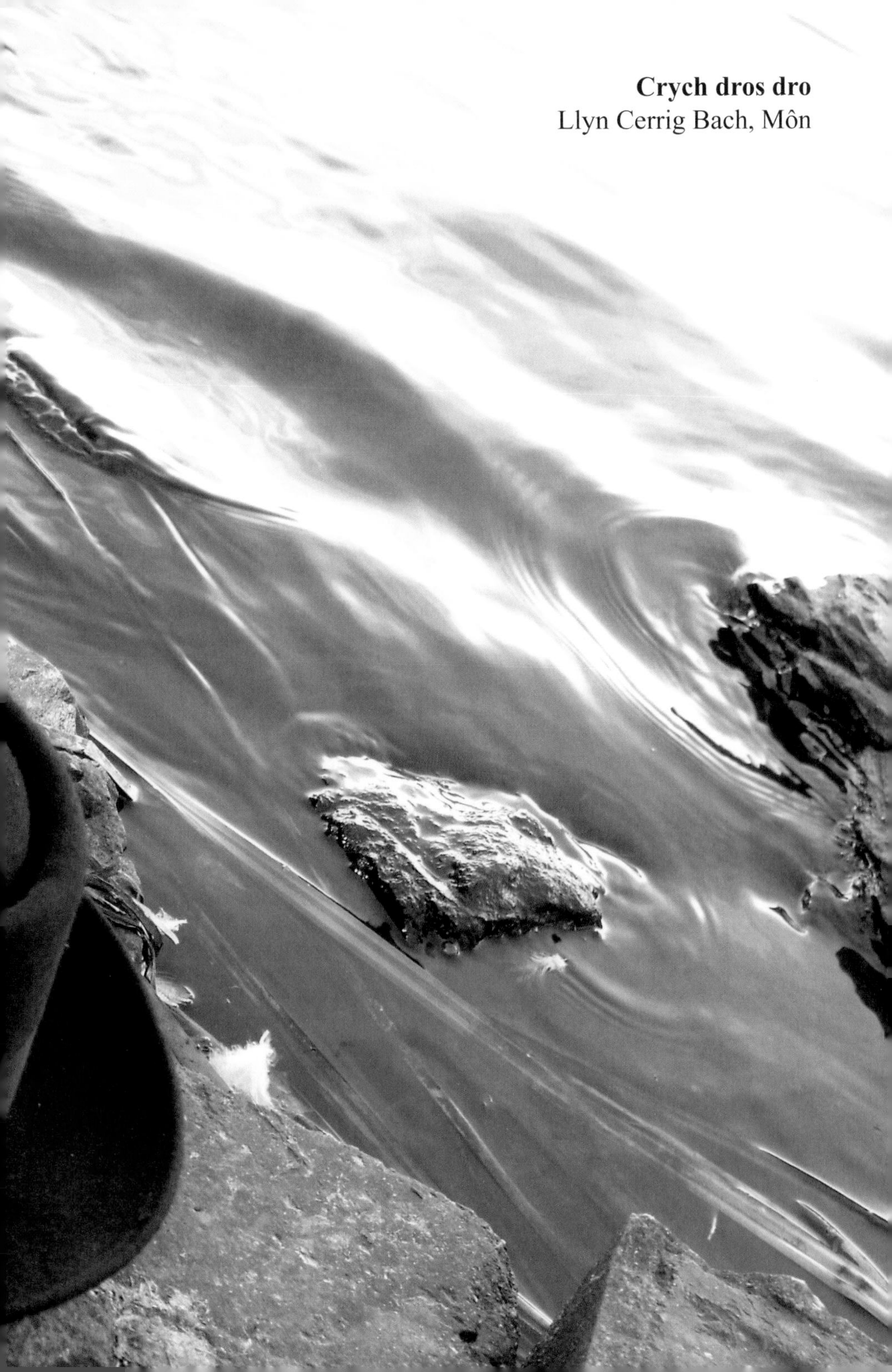

Crych dros dro
Llyn Cerrig Bach, Môn

Soho sy'n brifo o hyd

Yr oedd o'n brifo,
ond roedd yn rhaid cael dweud,
ym mlynyddoedd bling fy ieuenctid,
i mi gael tyllu fy nghorff
mewn tŷ tatŵ yn Soho.

Roedd pawb yn synnu,
eraill yn gwaredu,
a phawb yn rhyfeddu.

Eleni, rhwng gwaith a swper a sioe
ar benwythnos hir yn y West End,
fe fu'r ail-ddychwelyd yn ormod i mi;
y siop (a enwyd Metalmorphosis)
wedi newid, wedi marw,
ac wedi mynd roedd nodwyddau a phinau,
wigiau a lledr y blynyddoedd a fu.

Ac roedd hynny'n brifo.

Ond doedd neb arall yn synnu,
neb yn gwaredu,
a dim ond fi'n rhyfeddu.

Tippit

Mi gofia' i'r noson honno yn Y Porth
yng ngwres y fflamau glo,
pan fuon ni'n cuddio cerrig gleision
yn ein hamryfal ddyrnau,
a dim ond y tîm –
Catrin a chdi a fi –
yn gwybod lle'r oedd y trysor.

Ond cyn bod y clapiau uffernol yn gorffen oeri,
roedd y gyfrinach giaidd yn cuddio ynot
ac wedi dy daro fel deng mil o ddyrnau;
a finnau'n gofyn, sut y methodd pawb
â gweithio allan,
dwsin-dwsin,
lle'r oedd y garreg gas?

A rŵan, nid gêm ydi tippit i mi.

Gwaelod y clogwyn
Traeth Mwnt, Aberteifi

Iago ac Iwan

Y noson wedi dod o hyd i gorff Iwan yn ei fflat ym Mangor,
ro'n i'n gwarchod fy nai, Iago, yn Aberystwyth ...

Yn ei grud, mae Iago'r hil
yn anniddig o eiddil,
a'i fodryb sydd heb fedru
si-lwli-lw'r nosau lu:

Ar elor Bangor mae'r byd
a'i brifardd briw o hefyd,
crwydryn sy'n cario adref
eiriau'r iaith yn ei farw ef:

A gwnaf, gofynnaf innau
i'r un duw sy'n rhannu dau,
i ba obaith, ba wybod,
fy neffro i beidio â bod?

Mai 28, 2010